Gos

Le Scrameustache

4. LE TOTEM DE L'ESPACE

* Cet album contient quelques expressions fleurant bon le terroir québécois.

Scénario & dialogues : Gos
Dessin : Gos
Couleurs : Studio Léonardo

PARIS • BRUXELLES

Le SCRAMEUSTACHE de Gos & Walt :

1 L'héritier de l'Inca
2 Le magicien de la Grande Ourse
3 Le continent des deux lunes
4 Le totem de l'espace
5 Le fantôme du cosmos
6 La fugue du Scrameustache
7 Les Galaxiens
8 La menace des Kromoks
9 Le dilemme de Khéna
10 Le prince des Galaxiens
11 Le renégat
12 La saga de Thorgull
13 Le secret des Trolls
14 Les Kromoks en folie
15 Le stagiaire
16 Le grand retour
17 Les Galaxiens s'en vont en gags
18 D'où viens-tu Scrameustache ?
19 Les Figueuleuses
20 Le sosie
21 L'œuf astral
22 Chroniques galaxiennes
23 La caverne tibétaine
24 Le cristal des Atlantes
25 Le bêtisier galaxien
26 Les enfants de l'arc-en-ciel
27 Les naufragés du Chastang
28 Les petits gris
29 Le président galaxien
30 L'épreuve du sablier
31 La fontaine des mutants
32 Tempête chez les Figueuleuses
33 Le réveil du Mirmidon
34 Le retour de Falzar
35 L'antre de Satic
36 Casse-tête olmèque
37 Les Exilés
38 L'Elfe des étoiles
39 La clé de l'hexagramme
40 Les passagers clandestins
41 Le lauréat " K22 "
42 Le géant d'Imenoca

www.glenatbd.com

Première édition : 06/1977

Couvent Sainte-Cécile
37, rue Servan - 38 000 Grenoble
pour la présente édition

Dépôt légal : avril 2008
ISBN : 978-2-7234-6332-4 / 004
Achevé d'imprimer en République Tchèque en mars 2016 par PB Tisk.

(*) Voir "Le Continent des deux Lunes".

Là, je ne vois vraiment pas! Qu'entends-tu par avantage?
Par exemple, vous conduire au Québec, à ce fameux congrès de géologie auquel on vous a invité à participer!

Vous faites autorité en la matière. Il serait logique d'y assister. Avec le passe-partout, c'est tellement plus simple!

Oh oui! Allons-y, Oncle Georges! Profitons des vacances pour y aller! Et là-bas, au Québec, le Scrameustache et moi, nous t'attendrons chez ton ami Martin Paradis!
Pardon?!

Mais saperlipopette, nous n'avons pas à aller nous imposer chez Martin Paradis comme ça, sans tambour ni trompette!
On ne s'impose pas, puisqu'il vous a écrit en ce sens la semaine dernière!

Heu oui, bien sûr!... Mais... heu... je ne sais pas... Enfin... je... j'y réfléchirai... Oui, c'est ça! J'y réfléchirai!

Et la soirée se poursuivit sans qu'il fût encore question du Québec jusqu'à ce que...
Venez! Ça marche! Tout est au point!

Donc, avec cet étrange matériel, on peut entrer en contact avec les gens du Continent des deux Lunes!...
Entre autres, oui, mais il peut servir à un tas d'autres choses!

Comme par exemple l'étude de l'espace! Voici la constellation du Caribou, aussi nette qu'au télescope!

En faisant le point fixe sur une étoile, il y a moyen d'en connaître la distance! Regardez!

Et voilà ! Cette étoile se trouve à 1.800.000 années-lumière !
À mon tour d'essayer ! D'accord ?

Tout d'abord, je fais pivoter l'antenne pour choisir un secteur. C'est bien ça?
Oui! Parfait!

Ca y est ! J'ai capté une étoile ! Maintenant, je fais le point fixe pour en connaître la distance !

Ça commence bien... Je n'arrive pas à faire le point fixe. Cette étoile grossit sans cesse! C'est étrange!...
!

Tu as raison! D'ailleurs la distance diminue de façon constante, ce qui prouve que "ça" se rapproche.

Ce n'est sûrement pas une étoile !...
Il s'agit peut-être d'une météorite!
3A

Attendez! Je vais régler le point fixe sur la vitesse de cette chose! L'image sera plus nette!

Qu'est-ce que c'est?
Oh!Oh!

Apparemment, c'est un engin automatique qui fonce vers la Terre !...

Khéna a, en effet, localisé un engin qui semble se diriger vers la Terre

Mais bon sang, si cet engin fonce vers la Terre il faut savoir où il va se poser, quand et comment...
C'est possible, mais pour ça il faudrait coupler les instruments du passe-partout avec ceux-ci!
3B

Quelques instants plus tard...
Regarde l'écran! Il va indiquer une mer ou un continent et le point de chute!

On dirait l'Amérique du Nord!..
Oui, et là, un point lumineux au... au Canada... mieux, au Québec!

AU QUÉBEC ! Ça, c'est un coup du Scrameustache !!

Et...
Oui, petit monsieur! "Un coup monté"!... Un coup monté avec Khéna pour m'influencer et ainsi aller vous promener au Québec! Pas vrai!?

Mais, nom d'une pipe, qui a calculé la vitesse de rotation de la Terre... et son parcours orbital... et la distance de l'engin... et sa vitesse? Hein? Hein?
4A

Ce n'est ni vous ni moi, mais cette machine! Et si elle dit que l'engin se posera au Québec, croyez-moi, vous pouvez lui faire confiance, elle n'a pas l'esprit tordu comme un quelconque Terrien!...

Et qui te dit que cet engin ne va pas se mettre sur orbite avant de se poser!?
Parce que c'est un engin à propulsion réversible, et il n'a nul besoin de se mettre sur orbite!

Bon! Bon! Très bien! Disons qu'il va se poser comme ça... pouf! Mais tout compte fait, cela ne me concerne pas!

Ah! ça, c'est la meilleure!! Vous oubliez que c'est vous qui avez demandé "Où?, quand?, comment?"

Moi qui croyais que vous alliez donner à Khéna toutes les possibilités d'élargir ses connaissances dans ce domaine!.. Ah ouiche! Je me suis trompé, tout bêtement, parce que vous avez peur!!

Moi, peur? Ha! ha! Nous allons voir!... Allô... Mademoiselle, je voudrais envoyer un télégramme...

... au Québec... à Monsieur Martin Paradis... oui, c'est bien ça...
4B

Le lendemain, au Québec, chez les Martin Paradis...
Écoute ça, Janette ! " Merci de ton offre. Nous serons chez toi le 18. Ne te dérange pas, je connais le chemin ! Stop !" Et c'est signé : Georges Caillau !
Ah ! Il s'est quand même décidé à venir nous voir ! Hé ! Mais le 18, c'est aujourd'hui !

Moi, j'aimerais comprendre ce télégramme ! Il y a des nuisances là-dedans !
C'est dans ton cerveau qu'il y a des nuisances, Martin Paradis !

Il dit " Nous serons..." ! Ça veut dire quoi, ça : "Nous" ? Hein ?? Tu savais qu'il s'était remarié, toi, Georges ?!
5A

"Nous serons..." ; ça veut tout simplement dire : "Mon fils et moi !" Il vient avec Khéna. Voilà !

Bon ! D'accord ! Mais pour arriver ici, hein ?! La plus proche gare est à vingt milles !

Fatigue-toi pas ! Puisqu'il connaît le chemin !... Va plutôt leur pêcher des truites !
?

JANETTE ! Viens donc voir ça ! Vite !!

Doux Jésus... c'est... c'est... une soucoupe volante !!...
5B

C'est des Martiens! Viens, rentrons! Ils sont peut-être dangereux!...
Mais non! Attends, voyons!

J'ai l'impression qu'ils nous ont vus! Qu'est-ce qu'ils vont faire ??
Te demander l'heure, hé, niaiseux!!

Dites-moi, Terriens! Quelle heure est-il, sur votre planète?

Que... qu... quelle heure ?!? Ben... heu... héhé... **TROIS HEURES ET DEMIE !**
6A

Et à l'intérieur de la soucoupe...
HAHAHA!!
Hahaha! On a bien fait de venir avec la soucoupe!

Si Tobor ne les affole pas, c'est qu'ils sont mûrs pour apprendre ce que nous savons!

Tiens! Prends ça! On ne sait jamais!
Non! Attends! Il se passe quelque chose!

Regarde! Il y en a un qui est sorti!
6B

Approche-toi pas, Martin! C'est risqué!

Dis donc, ça bouge!...

Attention, Martin, c'est un monstre! Il va nous attaquer!

NON, JANETTE! PAS ÇA!

?
WÏÏZ
7A

JANETTE! HO! JANETTE! RÉPONDS-MOI!

Hé!... Que lui avez-vous fait?... Ho! Ne partez pas!! Elle... Je... !!★

Rhââ!... Ils sont partis!... Et toi, reste pas là comme ça! Dis quelque chose ou fais quelque chose, quoi!!

Mais brusquement Janette revient à elle et poursuit le geste qu'elle avait amorcé.
PLOC

HÉ!
PAF
GOS
7B

Pendant ce temps, non loin de là...
Ça va! Il n'y a personne en vue!
La voilà bien cachée! Nous n'avons plus qu'à faire notre apparition en parfaits voyageurs innocents!

N'oublie pas de m'envoyer Tobor au bon moment!
D'accord!

OHÉ!
Si j'étais une statue, comment veux-tu que je sache que tu avais changé de place, niaiseux?

GEORGES! KHÉNA!
8A

Comme tu as grandi, toi!
Heu... Est-ce la tradition d'accueillir les amis avec un fusil, ici?
Ah! Si tu savais ce qui vient de nous arriver! Écoute plutôt!

Et les Paradis racontèrent leur enfer!...
...Et tu ne sais pas ce qu'ils sont venus faire?!... Ils ne sont quand même pas venus te demander l'heure?!
MAIS SI! Justement! C'est insensé!
PFFF!

Ça ne sentait pas le soufre, par hasard?
Tu rigoles, mais avec tout ça, Janette m'a tiré dessus!!

Tu ne me crois pas, hein! Viens voir, je vais te montrer son trou de balle!

Regarde! En plein dans le ponton! Alors?...
8B

Ce trou ne prouve rien ! A propos, à quoi ressemblait-il, votre Martien ?
Ah ! Moi, je l'ai vu ! C'était un monstre... énorme... avec un grand cou surmonté d'une tête de... de serpent !

?
Holà ! Minute, Janette ! Fatigue-toi pas ! Il se fiche de nous ! Il a vu quelque chose !... Au fait, Georges, comment es-tu venu jusqu'ici ?

Attention, Tobor ! Ce sera bientôt à toi de jouer ! Il y en a déjà un qui a compris.

Eh bien, mon cher Martin, je suis venu ici avec celui qui t'a demandé l'heure !
Tu vois, il continue à se moquer de nous !

Pas du tout ! Regardez derrière vous, et vous verrez que je ne mens pas ! **Le voilà !**
!?!

Ne vous affolez pas, il n'y a pas de danger ! Je vais vous expliquer !...
9A

Cependant il se passait des choses dans l'espace...

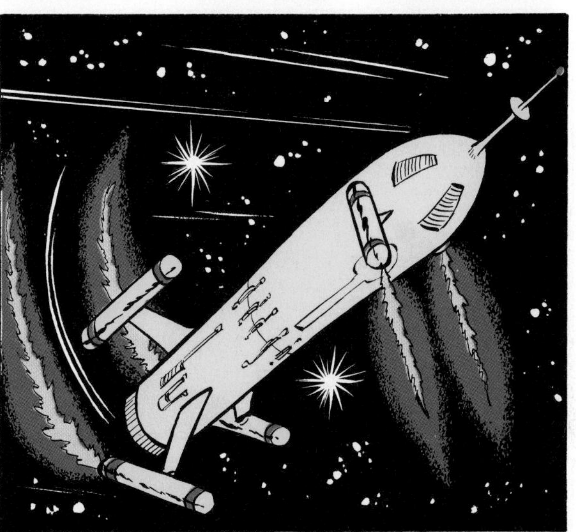

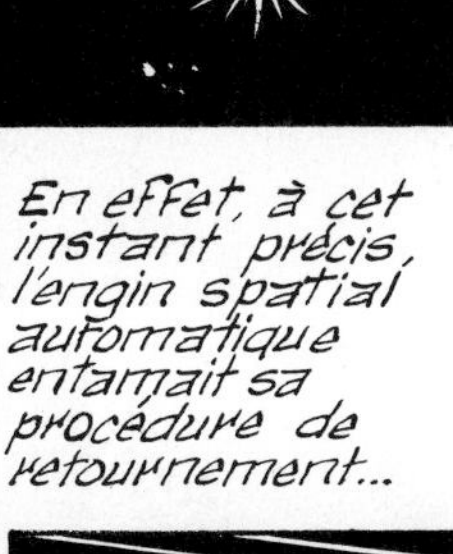
En effet, à cet instant précis, l'engin spatial automatique entamait sa procédure de retournement...

Pour poursuivre sa route en décélération vers la Terre.
9B

Maintenant très proche de la Terre, l'engin effectue une ultime correction de trajectoire.

Ce qui allait provoquer un effet inattendu chez les Paradis...
Quelle histoire !... Nous allons prendre une petite santé ! Ça va nous replacer... c'est du Caribou !

KHÉNA !? Qu'est-ce qui t'arrive ??

Regardez ! Il est devenu transparent comme du verre !?!

Héhé ! Il a été pris sous un rayon de repérage de l'engin !... C'est impressionnant, mais pas dangereux ! Voilà, c'est déjà terminé !
10A

S'il y a un rayon de repérage, c'est qu'il y a un repère par ici ! Monsieur Paradis, n'avez-vous jamais rien remarqué d'anormal dans les environs !?
Heu, non ! Je ne vois rien ! Il ne s'est rien passé ici depuis des années... des siècles même !!

Ah ! mais j'y pense !... De l'autre côté du lac, il y a le clou du trappeur ! Tu sais, Georges, c'est ce morceau de métal coincé dans un rocher. Il est là depuis au moins deux cents ans, sans rouiller ni s'oxyder !
On dit que c'est un trappeur qui l'a volé à des Indiens du Yukon, croyant que c'était de l'or. Quand il est arrivé ici, il était à bout de forces et il a laissé tomber son "clou" dans une faille de rocher. Le lendemain, le type est mort, et personne n'a jamais pu enlever le clou. Les Indiens le disaient maudit. Demain, j'irai vous le montrer !

Et le lendemain...
Je l'ai retrouvé ! Il est ici ! Venez !

Le voilà ! Coincé à mort ! Impossible de le sortir de là ! Le tout est de savoir si ça a un rapport avec votre engin !...
10B

Attention! Ça devient lumineux !...

Hé! Nous voilà tous transparents!
Qu'est-ce qui peut bien provoquer ce phénomène?

C'est le rayon de repérage qui change la vitesse de vibration de nos molécules et nous rend transparents!

Là, cette lumière, c'est l'engin! Il faut filer d'ici!

Maintenant nous sommes certains qu'il y a un rapport entre le repère métallique et l'engin!
Par ici, ça ira! Venez!
11A

Tu crois qu'on peut rester ici sans danger, Scrameustache?

Oui, on ne risque rien! C'est un engin automatique! Il va se poser au-dessus du témoin-repère! Regardez!

Ce qu'il faudrait savoir, c'est d'où il vient et ce qu'il vient faire ici!

11B

Que va-t-il se passer? Tu connais ceux qui ont envoyé cet engin, Scrameustache?
Non! Mais d'après la technique utilisée, ce sont des peu évolués... comme vous. Faudra se méfier: Attention!!

Regardez!... Une lumière qui se promène...

Elle ne se promène pas! Elle cherche en quelque sorte un support matériel! Si elle vient par ici, pensez très fort qu'elle doit partir!
12A

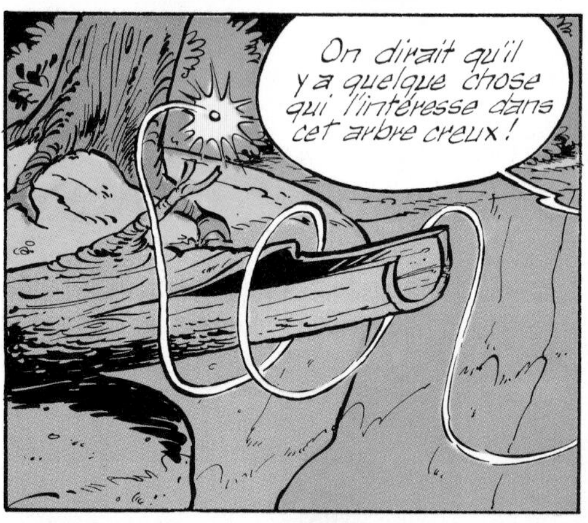
On dirait qu'il y a quelque chose qui l'intéresse dans cet arbre creux!

Eh oui! C'est un petit écureuil...
!

...Qui détalle instinctivement.

Mais l'étrange petite lumière ne le lâche pas...

Elle lui colle au train comme sa mauvaise conscience.

Jusqu'à ce qu'il s'arrête pour souffler. Et là...

12B

Investi par la lumière, l'écureuil repart comme un automate. Visiblement son comportement a changé.

Incroyable! La lumière est entrée dans l'animal !
Elle a pris possession de son corps! Maintenant, c'est elle qui commande ses gestes !

ATTENTION ! En voilà une autre! Elle vient par ici! Cette fois, c'est pour l'un de nous!

NE BOUGEZ PAS ET PENSEZ TRÈS FORT QU'ELLE DOIT PARTIR !

Ouf! Elle s'en va!
13A

Venez! Il faut changer de place. Elle va revenir à la charge!
Tu y comprends quelque chose, toi, Scrameustache ?

Cette petite lumière est la manifestation ici d'un être qui, lui, est resté sur sa planète, à cause de la distance. Il essaye d'utiliser le corps d'un plus faible pour le faire agir à sa place et sans se faire remarquer...

Au fond, ces petites lumières, ce sont des esprits?!

Holà! Khéna! Tu y vas un peu fort! Il n'y a rien de spirituel dans tout ceci!... Encore un peu, et tu demanderais aux animaux: Esprit, es-tu là ?

GRR!
13B

GRUMPF!
Hé! Partez pas! C'est un ours du parc! C'est ce pitre de Victor Hugo! Je le connais bien! Il n'est pas méchant!

Ce n'est plus tout à fait lui! Méfiez-vous! REGARDEZ SES YEUX!

Ses yeux! Quoi, ses yeux? Ils sont beaux, ses yeux... tout jaunes comme... comme...

... comme la petite lumière... Heu... hé! Ho! Tout doux, Victor Hugo!... Tout doux!

Vas-y, Scrameustache! Pétrifie-le, ou il va dévorer ce pauvre Paradis!
Non! Pas de face! Il ne faut pas "leur" montrer nos moyens de défense!
14A

GRAOUMF!
Veux-tu cesser, Victor Hugo!... Tu n'es qu'un misérable!!

GRR!
Attention! Le voilà!

WIIZ

Eh ben!... J'ai eu chaud!

OH! LÀ! REGARDEZ!
14B

Il se passe quelque chose à la fusée. Je crois qu'elle a bougé !
De là-haut, nous y verrons mieux !

Holà ! Il y a cinq animaux qui ont été pris... sans compter l'ours !
Ils ont sorti du matériel de la fusée. L'installation a commencé !

Juché sur un curieux petit engin, un des animaux va et vient autour de la fusée.
15A

Car celle-ci s'est ouverte en deux...
DZZZZZ

Et...

15B

GOS.
15C

Le raton laveur braque le rayon sur la paroi rocheuse.

Tu comprends ce qu'il veut faire, Scrameustache? À quoi sert ce rayon modulé?
Je crois qu'il veut ramollir la roche pour y incruster quelque chose!

Ils vont la rendre molle comme du beurre, et je suis prêt à parier que cette partie de la fusée va y entrer tout entière!... Oui! Regardez!

Propulsée par ses moteurs latéraux, la partie haute de la fusée entre dans le rocher.

Aussitôt après, le raton laveur teste la roche, qui déjà a repris sa consistance.
TOC
16A

Tandis que sur le dessus du rocher, le même processus a commencé...

Oh! Le système de levage s'est retourné. On dirait qu'il va prendre l'objet qui est emballé! Si lui aussi disparaît dans le rocher, nous ne saurons jamais ce que c'était!...

GOS
16B

TCHAC

Sa mission terminée, le reste de la fusée se met brusquement en action et se propulse dans l'air.

17A

Et soudain...
WAK

BAOM

Ils l'ont détruite !! À présent, il ne reste plus aucune trace de la venue de cette fusée, si ce n'est cette chose emballée !...
Hé! Regardez ces deux-là!

Je me demande pourquoi ils débitent ce tronc en lamelles?
Pour se faire des tranches de pin !... Hihihi!

Et maintenant, ils s'offrent un petit trou pas cher !...
17B

J'ai compris pourquoi ils creusent ce trou ! Ils se constituent un accès pour rejoindre la partie de la fusée qui est dans le rocher, car il doit s'agir en fait d'un laboratoire ! Et ce haut "machin", là, c'est sans doute une sorte d'antenne qui les relie à leur planète !

L'installation terminée, les animaux regagnent l'intérieur de la "station"...

Et le dernier disparu, la trappe se referme.
CLAP

Mais elle s'ouvre à nouveau...

Pour accueillir un retardataire... a priori trop gros pour le trou...

18A

La petite lumière l'a quitté ! Pauvre Victor Hugo ; il ne saura jamais ce qui lui est arrivé !
Oh ! Il y en a un qui ressort ! Qu'est-ce qu'il va faire avec son laser ?

BZZZ

La gaine de protection éliminée, la chose apparaît :
UN TOTEM !
Un totem venu de L'ESPACE.
Gos
18B

Un totem, ICI!... Sur la côte Ouest, passe encore, mais ici, au Québec, c'est complètement idiot!
Non! C'est un accident, Monsieur Paradis!

N'oubliez pas que sans l'intervention d'un trappeur, ce totem se trouverait au Yukon, sur la côte Ouest, et il y passerait inaperçu!

Bon! D'accord! Mais ça rime à quoi d'envoyer un totem sur une autre planète?! Hein!?... Ça cache quelque chose!... Et si on veut qu'il passe inaperçu, ce n'est pas honnête!...
Je suis prêt à parier que...

WIIISSSUU

UUWIIWW

Un convertisseur d'ondes!... J'aurais dû y penser!
IL NE FAUT PAS RESTER ICI! C'EST DANGEREUX.
19A

Je l'avais dit que c'était pas honnête! Et en plus, c'est dangereux!!
DZZ
DZZ
DZZ
DZZ
Bon sang, Scrameustache, tu y comprends quelque chose, toi?!
Il y a une zone qu'on ne peut approcher, et il va sans doute s'y passer quelque chose. Regardez le totem!!

Sous le regard médusé de nos amis, une forme prend corps dans le rayonnement émis par le totem.
19B

Extraordinaire! Comment ce prodige est-il possible?
C'est un convertisseur qui rematérialise ce qui lui est envoyé sous forme d'ondes!
Reste à savoir pourquoi et qui transmute des robots ici!
Un manoeuvrier! Il faut que je sache pour quels travaux cette mécanique a été programmée!
J'aurais avantage à me faire couvrir par Tobor, moi!...
20A
GRWIK
WZZZZ
Bon sang, ce robot est programmé, entre autres, pour la bagarre!...
Les réflexes sont au point, mais un peu lents et... ???
TOC
GOS
20B

Humpf!

Hop!

Et voilà !!

Décidément, il m'en veut! Faudrait en finir...
À moi, Tobor!!
SNIP
SNIP
SNIP
SNIP
21A

BANG
WIIZ

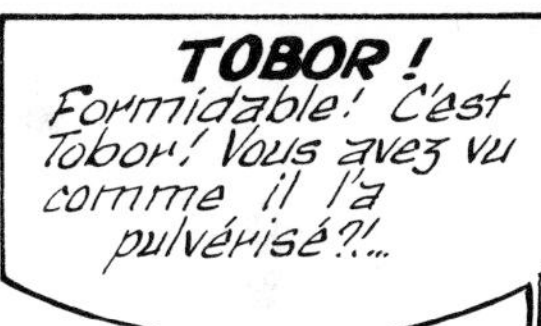
TOBOR ! Formidable! C'est Tobor! Vous avez vu comme il l'a pulvérisé?!...

Gos

Rien de cassé, Scrameustache?
Ça va?

NON ! N'APPROCHEZ PAS ! LE TOTEM VA SE MANIFESTER ! JE RESSENS CERTAINES VIBRATIONS ÉLECTRIQUES.

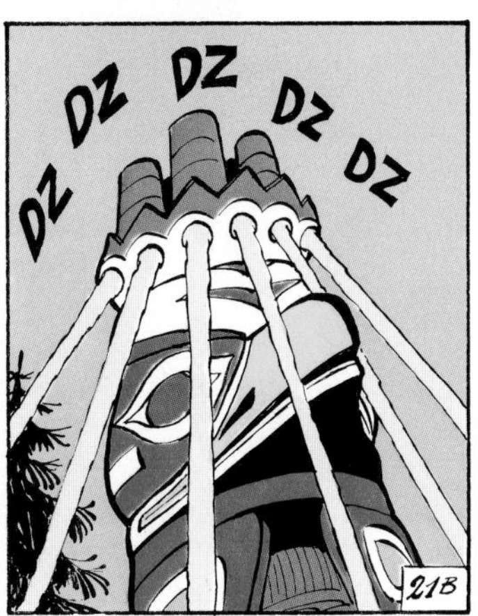
DZ DZ DZ DZ DZ
21B

Qu'est-ce que je vous disais!... Voilà qu'il remet ça!
DZZ
DZZ
DZZ
DZZ

Mais pendant ce temps...
Restez pas là!!... Il va vous jouer un tour de crasse!

Ouwhaââ!!... Qu'est-ce qui m'arrive?... J'ai... j'ai subitement sommeil...
DZZ

Z
?
22A

Hep! Monsieur Paradis! Ça ne va pas, dites?
DZZ

Ça y est! Le totem va encore se manifester!
Ouwhaââ!...

Que dis-tu, Khéna? Regarde bien et...
Z
Z
?!

Mais, ma parole, ils dorment, ces deux-là!??
DZZ
Z

Bon sang! Tout est à recommencer!
Z
Ouwhaââ!...
Z
Gos
22B

Ouwhããã !... Eh ben zut, alors !... Quel coup de pompe !... Et maintenant voilà encore une nouvelle mécanique qui... qui...

Ouhwããã !... Mais c'est sérieux... je... nom d'une pipe Tobor... att...
... attention !

Le Scrameustache sombre dans le sommeil alors que l'inquiétante mécanique s'approche inexorablement.
Z

Devant le danger, Tobor réagit, mais cette fois, l'étrange machine est d'une résistance peu commune
WIIIZ
23A

Menaçante, la chose est à quelques mètres seulement du Scrameustache.

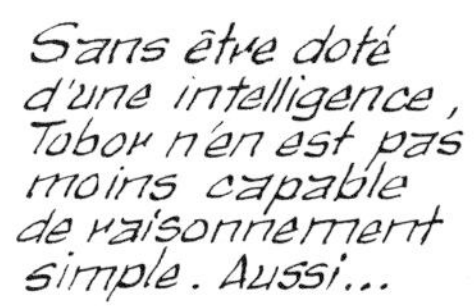

Sans être doté d'une intelligence, Tobor n'en est pas moins capable de raisonnement simple. Aussi...

WIIIW

BROMBOLOM
Z

Aussitôt Tobor se porte au secours du Scrameustache et lance un appel au passe-partout.
23B

Non loin de là, dissimulé dans un fourré, le passe-partout bondit à l'appel de Tobor.

Et arrive à la rescousse.
Z
Z

Conçu pour protéger le Scrameustache, Tobor s'acquitte de sa tâche avec conscience...

...sans oublier Khéna, envers qui il a aussi des responsabilités...
24A

...mais c'est sans le moindre remords qu'il abandonne Georges Caillau et Martin Paradis aux tentacules de la "chose", qui est parvenue à se dégager des troncs d'arbres.
Z
Z

Et le passe-partout emmène Khéna et le Scrameustache.

Pendant que...
PCHHHH
24B

Les gaz se font de plus en plus denses...
PCHHH

Et soudain...
PCHOUF

Réduit à la taille du Scrameustache, Georges est capturé par la "chose".
Z
CLAP

Z

À son tour, Martin Paradis subit le même sort...
PCHOUF
25A

...Et disparaît dans une prison mobile...

...qui va rejoindre l'arsenal d'engins émis par le totem.

Pendant ce temps...

Ouwhâââ !... J'ai bien dormi, moi !... Et...
???

Bon sang !! Je me souviens !... Khéna !?!
GOS
25B

Je ne vais tout de même pas attendre son réveil, ce serait trop long. Avant toute chose, je dois savoir ce qui s'est passé là-bas et ce que sont devenus les deux autres... Tobor doit savoir, lui.

Et Tobor raconta, à sa façon, tout ce qu'il avait vu.

Bon! Puisque tu ne sais pas ce qu'ils sont devenus, je vais aller m'en rendre compte! Toi, tu restes ici! Je te confie Khéna! Attention, hein!

Cette fois ça devient sérieux! Je n'aime pas ça, mais j'emporte un désintégrateur! On ne sait jamais...

D'ailleurs, si on a essayé de nous maîtriser, c'est qu'il va se passer des choses très importantes.

En effet, il se passait des choses très importantes au pied du totem...
26A

Après la matière inerte, c'est de la matière vivante que le totem rematérialise, à présent.

Je ne suis plus loin du totem!... Prudence. Il ne s'agit pas de se faire rendormir!

Voyons, voyons! Je dois me trouver très près de l'endroit où nous nous sommes cachés!

Ah! Ils ne sont pas loin. Je les entends ronfler!
RRZZZ
RRZZZ!
GOS
26B

*Dans le but de vous satisfaire et ne reculant devant aucun sacrifice, nous vous offrons une traduction simultanée, car il va de soi que ces deux compères s'expriment dans leurs charabias respectifs!...

Si tu recommences un coup pareil, je te change en statue de sel, je te flanque à l'eau et tu deviendras tellement petit que tu seras mangé par les poissons! Vu?!?

Hou... hou... Houhou...
Bon! Maintenant tu vas me dire qui t'a envoyé ici! Alors?

QUOI, HOUHOU?
Houloula!... Là!

DIS DONC, TU TE FICHES DE MOI AVEC TES HOUHOU ET TES LÀLÀ!
Non! Houloula est là! Oh! Làlà!!!

Alors? C'est comme ça que tu remplis ta mission? Tu perds déjà ton temps avec le premier imbécile venu!
28A

Mais, Houloula chérie, je...
Il n'y a pas de "mais, Houloula"! T'es pas là pour causer. Tu vas encore tout compromettre avec tes bavardages!

Minute! C'est facile d'accuser les autres!... Moi, je parie que vous ne vous rappelez même pas pourquoi vous êtes là!
Comment? On est là pour construire une forteresse pour les Stix et...

Merci, Houloula!
Humpf!!

PAF
!
Sale Filou!!
Raté!

'Commencent à m'énerver ces deux Accusmalas!! Et d'un...
WiiiZ
28B

Merci, mon pote! Je te revaudrai ça!
Disparais avec ta Houloula, et pas question de forteresse, ou ça va barder!

Puisque tu aimes l'eau, va donc jusqu'au lac, là-bas! Et restes-y jusqu'à ce que je t'en fasse sortir! Compris?
Oui! Oui! C'est ça, merci!

Un lac!! Exactement ce que je cherchais! J'espère qu'il est poissonneux!

Sacré Schrameustache, il est vraiment plein de bonnes idées!... Allez! Hop!

Dépêche-toi de fondre, ma tendre Houloula!... Toute petite, tu plairas encore davantage... surtout aux poissons!! Héhéhé!
29 A

?
PLATCH

Hé! Mais... Qu'est-ce que...?!? ??

RHÂÂÂÂ! ESPÈCE D'ABRUTI, ON NE T'A RIEN DEMANDÉ!... LAISSE HOULOULA LÀ!

Allez! Hop! À l'eau!! Zou! On a bien le droit de prendre son bain, non?...
29 B

Aaaah, c'est comme ça ! Eh bien, la Forteresse, ils pourront se la...
TAP TAP

Quelle coïncidence, tout de même !... Je disais justement à Houloula qu'il serait temps de s'occuper de cette fameuse Forteresse ! Héhéhé !

Et pendant ce temps...
Ah ! Les voilà, ces fameuses machines dont m'a parlé Tobor !...

Bigre, elles sont bien gardées ! C'est qu'elles ont beaucoup d'importance !... Je dois savoir à quoi servent ces engins, et pour ça je ne vois qu'une solution : l'arbre qui les surplombe !
30A

Mince, alors ! L'Oncle Georges est là-dedans. Il a sûrement été victime des gaz astringents, sans quoi il n'y serait pas entré.

Pas de temps à perdre. D'abord neutraliser ces fichues mécaniques.

Bon sang ! Ça ne va pas être commode de les faire sortir de là !

Peut-être qu'en tirant sur cette manette...
30B

!
PSCHHH

Ah! Enfin! Merci, Scrameustache!

ATTENTION DERRIÈRE TOI !!

Quelle aventure !... Mais saperlipopette... je.. je suis tout petit... ??
31A

Respirez à fond et lentement, vous reprendrez votre taille ! C'est parce que vous étiez dans un univers en contraction !
Hmpfff!

Vous voyez!

Je vais libérer ce cher Paradis! Il doit se morfondre dans sa prison mobile !

Et peu après...
Je me demande encore comment nous sommes entrés dans ces engins !?
Vous avez tout simplement été endormis! Voilà!
Oui! C'est ça! On nous a eus avec un endormitoire, et quand que je me suis vu encabané là-dedans, j'ai ben cru que j'allais défuntiser !...Pff, quel cauchemar !!
GOS
31B

ET KHÉNA !... SAPRISTI, OÙ EST KHÉNA ?
Ne vous inquiétez pas ! Il nous attend là, plus loin, sous la protection de Tobor !

Mais au même moment...
Z

...une petite lumière s'attaque à Tobor...

...qui résiste efficacement.
SCRITCH

Aussi est-ce à Khéna qu'elle s'en prend, au moment précis où il sort de son sommeil.
32A

Mal réveillé, il n'a pas la volonté de résister, et le voilà investi par cette énergie extérieure...

Perplexe, Tobor ne sait que faire...
?

Cependant...
Et quand tu l'as quitté, il dormait encore !??
Oui ! C'est normal, car il n'est pas passé dans les prisons mobiles, lui ! Le voilà !

Alors ? Comment te sens-tu ?
Bien ! Ça va !
Moi, je lui trouve un air bizarre !?

Oh ! Qu'est-ce que tu as là ? Fais voir !
Heu... C'est un désintégrateur !

Un désintégrateur !... Héhé ! Intéressant, ça !...
GOS
32B

Attention! Il est sous la domination d'une petite lumière !!
?

Nom d'un chien, il faut lui reprendre ce désintégrateur... et vite!!

Hahaaa! Je vais vous... ???
ATTENTION ! IL EST DANGEREUX !

?

Prenez garde! Khéna est investi par une lumière qui veut nous anéantir!
33A

PAF
AÏE!

Tant pis pour lui!
AGN!

Aaaah! Sale bête! J'aurai ta peau!
Et moi, j'ai le désintégrateur!...

Ne bouge pas! Tu es pris! Rends-toi!

Voyons, Khéna, ressaisis-toi! Ce n'est pas possible... Tu...
!
33B

PAF

Eh ben!... C'est ben bougrant, tout ça!
?

Ah! ça alors!... Ah! ça alors!...
Oh! ça va! Il n'y a pas de quoi en faire une chanson!... Venez! Il ne faut pas le perdre de vue!

Tu aurais pu faire quelque chose!... Le paralyser, par exemple!
Impossible! Il est protégé par sa médaille!

34A

Les Accusmalas ont fait leur forteresse!!
34B

Restez là et ne vous approchez pas des animaux. Ils sont dangereux! Je m'occupe de Khéna!

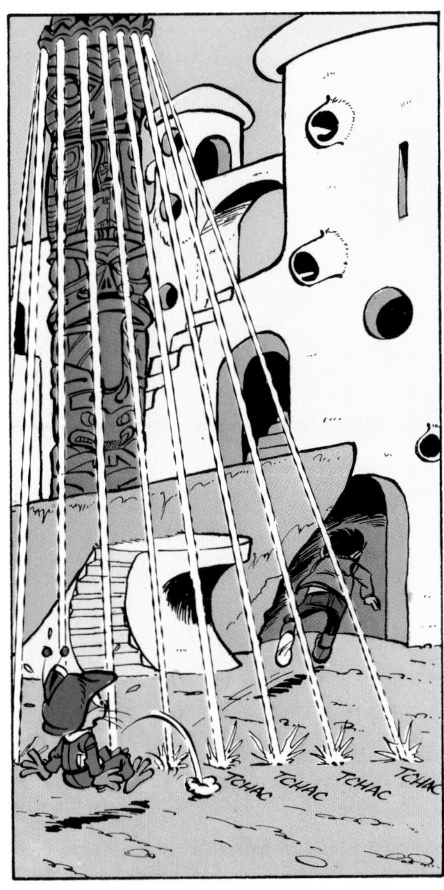
TCHAC
TCHAC
TCHAC
TCHAC

Hahaaa! Cette fois, je les tiens!

35A

Incroyable! Il commande les robots!
Bon sang! Il en vient de tous les côtés!
Ne bougez pas! Je m'en charge!

35B

Attention ! À trois, nous nous plaquons au sol!

Un...
deux...
TROIS!
36A

Mais, bon sang, tu es fou ! Tu oublies que Khérra s'est réfugié là-dedans ! Tu vas le blesser !

Il faut l'obliger à sortir de là avant que ses petits copains ne réagissent !

BANG

Mais au même moment, sous le totem...

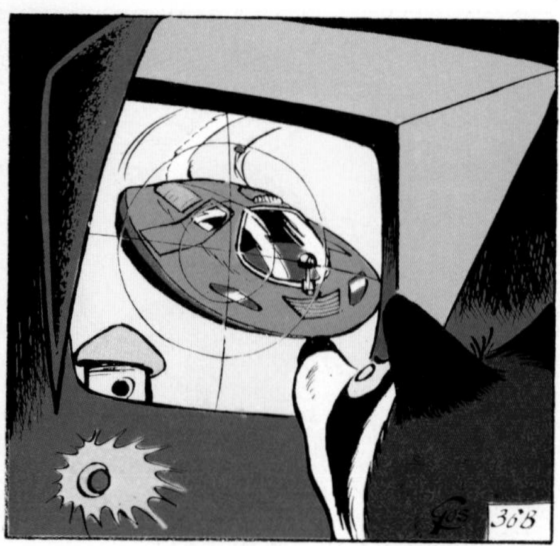
36B

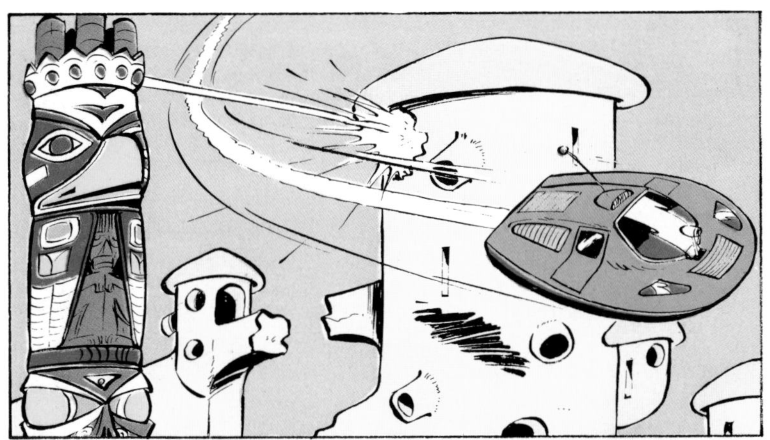

Rhaaa!! Il ne manquait plus que ça! Voilà les autres qui s'en mêlent, maintenant! Ils vont tout démolir!

Eh bien, ne reste pas là comme un empoté, toi! Qu'est-ce que tu attends pour faire quelque chose, hein?!?

Attends! Le voilà qui revient. Je vais te faire voir, moi!!...
37A

TOC

!
PAF

AH! MAIS QUEL BÊTE TYPE, ALORS! MAIS QUEL BÊTE TYPE!!

Bon sang! Khéna va nous échapper!
37B

Tenez ! Prenez ça, au cas où un robot aurait échappé à Tobor. Moi, je m'occupe de Khéna !

Et surtout, restez hors de portée du totem ! Ils ont décidé de nous éliminer !

Et voilà ! Ici, je suis à couvert !
S'apristi, où est-il passé ??

!
CRAC

Sors de là, ou je vais t'y chercher !
?
38A

!?
Chuuut ! Pas si fort ! Houloula va nous entendre !

Retrouve-moi Khéna en vitesse, ou j'appelle Houloula ! Elle a du flair, elle !
Moi aussi ! Moi aussi !
SNIF
SNIF

Le voilà !

À nous deux, mon gaillard !

Arglargl !... Ils vont se taper dessus !... Héhéhé ! J'adore ça, moi !
38B

PAF
Si je réussis à lui ôter sa médaille, il est à ma merci. (*)
(*) Voir l'Héritier de l'Inca.
??
Je l'ai !
39A
WIIIZ
Viens ici m'aider, toi ! On emmène cette belle statue !
Et peu après...
Je vous le ramène ! Il est inoffensif !
Qu'est-ce qu'on va lui faire ??
Le débarrasser de sa petite lumière !
39B

Tenez-le fermement, car sitôt revenu à lui il va essayer de se sauver!

Toi, va chercher Houloula! Je veux vous voir au pied du totem dans deux minutes. Je vous réserve une surprise!
?

Maintenant, il s'agit de trouver un moyen pour entrer dans le laboratoire sous le totem.

Bigre! Tobor a fait un fameux carnage!

Haha! Ces idiots d'Accusmalas ont construit un mur entre le totem et l'entrée du laboratoire ... Je peux donc m'y introduire sans être vu du totem...
40A

Holà!? Que se passe-t-il?

Extra! Les voilà qui sortent! Je n'aurai même pas le problème de chercher le système d'ouverture.
Et pour être tranquille, je vais les pétrifier.

WIIIZ

Comme dirait Paradis, 'faut avoir une craque dans le plafond pour aller là-dedans... C'est la seule solution.

Bon sang! Le Scrameustache est parti sans le désintégrateur!
Gos
40B

Attention ! Il se réveille ! Tenons-le bien !
Du calme, Khéna ! Du calme !

Pourvu que ça marche et qu'il se dépêche, bon sang !

Mince ! Ça glisse comme une patinoire, ici !

C'est donc d'ici que sont parties les petites lumières !...

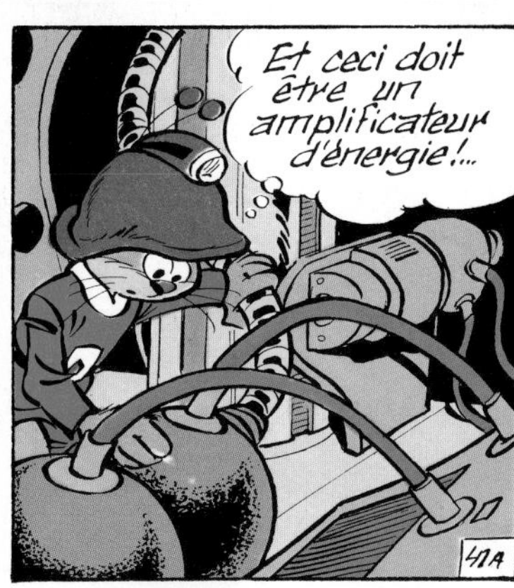
Et ceci doit être un amplificateur d'énergie !...

Si je réussis à le déconnecter, les lumières seront anéanties. Humpf !

Voilà !
POPS

Et au même moment...
?
Ça y est ! La petite lumière s'en va !

Ça alors ! Elle s'est éteinte ! ??
PITS

Les animaux aussi furent débarrassés de l'emprise des lumières au moment où ils reprirent leurs esprits.
?
?
?

Ça a réussi ! Il est redevenu lui-même ! Parfait !

Je passe à l'opération numéro deux !

Tenez-vous bien, Messieurs les Stix! Je vous réexpédie votre camelote!... Haha!

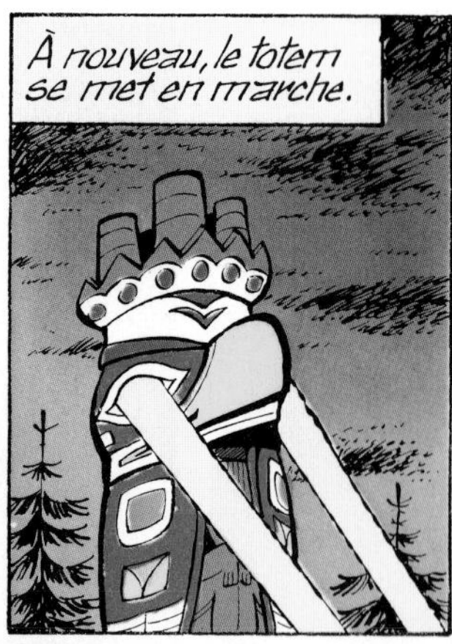
À nouveau, le totem se met en marche.

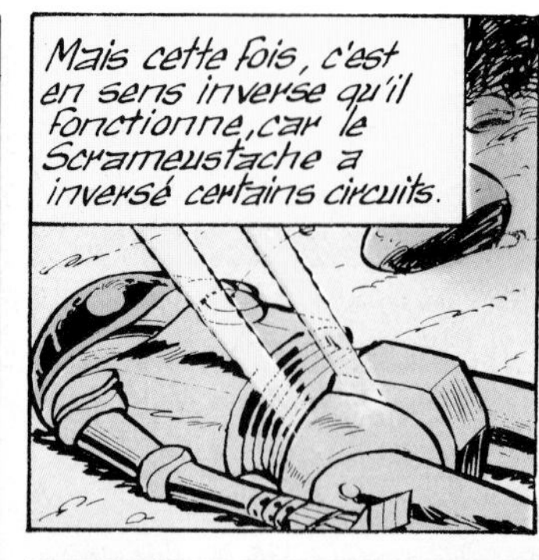
Mais cette fois, c'est en sens inverse qu'il fonctionne, car le Scrameustache a inversé certains circuits.

Si bien que tout disparaît, sitôt touché par le rayon.
PFUT

Et...
Mais puisque je te dis qu'il nous réserve une surprise!
UNE SURPRISE! HAHA! GROS NAÏF!

PLUS RIEN! Il ne reste absolument plus rien!!... Tu parles d'une surprise!... Ah! bravo!

AH! MAIS QUEL BÊTE TYPE, ALORS! MAIS QUEL BÊTE TYPE!!

DZZZ
?

PFUT

DZZZ
WHAHAHA! Le bête type, il est toujours là, tandis que toi, espèce de bête gonzesse... HAHA!

Ah! oui, alors! Pour une bête gonzesse, c'est
PFUT

Et soudain...
WIISUW

Il n'y a plus rien ! Le Scrameustache a réussi à tout faire disparaître ! C'est fantastique !
Il se passe quelque chose de grave ! Regardez le totem !

SAUVE QUI PEUT !

PLANQUEZ-VOUS ! LE TOTEM VA SAUTER !

43A

Le totem de l'espace a vécu. Il n'en reste absolument plus rien !

Et voilà ! L'invasion de la Terre par les Stix a échoué !
L'INVASION ? COMMENT ÇA, L'INVASION ??

Ah bon !... Vous n'aviez pas compris ? C'est pourtant simple. Ils ont d'abord transmuté de la matière inerte : les robots ! Ensuite, de la matière vivante : les Accusmalas. Qui entre autres leur préparaient une forteresse. Etant donné que le totem fonctionnait parfaitement bien, il ne leur restait plus qu'à se transmuter eux-mêmes !

Et s'ils recommençaient un jour ou l'autre !
Après l'échec qu'ils viennent de subir, ça m'étonnerait ! De plus, il faudrait que leur planète et la Terre se trouvent à nouveau en conjonction favorable ! Et n'oublie pas qu'ils n'ont plus de "clou" pour se guider !... Il s'est désintégré avec le totem !

Il y a la noirceur qui tombe. On ferait bien de rentrer. Janette va s'inquiéter !

Un peu plus tard...
C'est donc bien compris ! Motus et bouche cousue sur tout ceci !!
GOS
43B

C'est à cette heure que vous rentrez ?! Il ne vous est rien arrivé, au moins ?
Heu... Ben non ! Tu sais bien qu'il ne se passe jamais rien, ici !

C'est toi qui le dis ! Viens donc voir ce que j'ai découvert dans le hangar que tu avais laissé ouvert !
44A
??

Qu'est-ce que vous pensez de ÇA ?

UN OEUF !!

Ça, c'est un cadeau d'Houloula !
?
CRRRR

!
Côôôt !!

Côôôt !?!
Ah ben ! Ça c'est
FIN !
Gos 75

Le Scrameustache

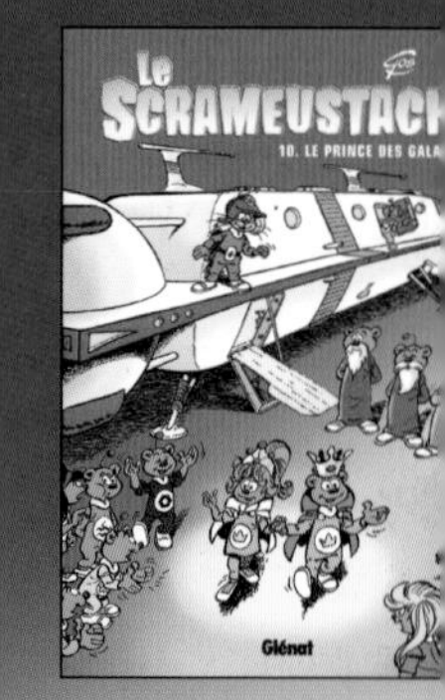

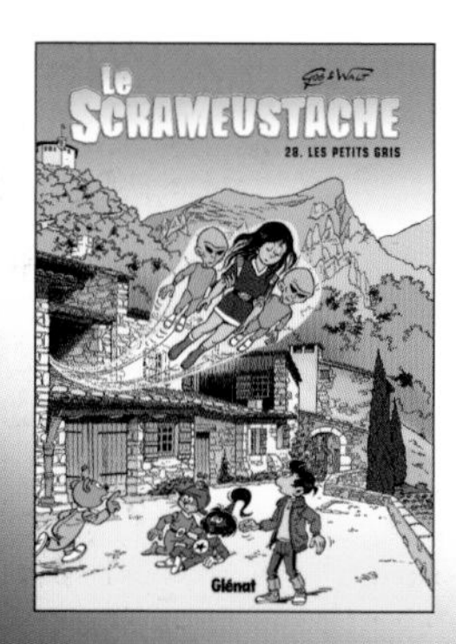